a caatinga

Texto e Ilustrações
Rubens Matuck

Copyright © Rubens Matuck

Texto e Ilustrações
Rubens Matuck

Capa e Projeto Gráfico
Rex Design

Revisão
Mariana Mininel de Almeida

Coordenação Editorial
Editora Biruta

7ª edição - 2010

Dados Internacionais de Catalogação na Publicação (CIP)
(Câmara Brasileira do Livro, SP, Brasil)

Matuck, Rubens
    A caatinga / Rubens Matuck ; ilustrações do autor. - - São Paulo : Biruta, 2004
 	
ISBN: 978-85-88159-25-9
 	
    1. Caatinga - Literatura infantojuvenil
I. Título	

04-1160	CDD - 028.5

Índices para catálogo sistemático:
1. Caatinga : Literatura infantojuvenil   028.5

Edição em conformidade com o acordo
ortográfico da língua portuguesa.

Todos os direitos desta edição reservados à
Editora Biruta Ltda
Rua Coronel José Euzébio, 95 – Vila Casa 100-5
Higienópolis – CEP 01239-030
São Paulo – SP – Brasil
Tel (011) 3081-5739 Fax (011) 3081-5741
E-mail: biruta@editorabiruta.com.br
www.editorabiruta.com.br

A reprodução de qualquer parte desta obra é ilegal e configura uma apropriação
indevida dos direitos intelectuais e patrimoniais do autor.

No nordeste do Brasil, existe um tipo de vegetação única. É a caatinga, onde só plantas muito resistentes sobrevivem.

Nela, todos os seres, do pequeno animal até o homem, desenvolvem maneiras diferentes de sobrevivência.

Sua mata é formada por árvores de pouca altura, contorcidas, que perdem as folhas na seca.

Na época das chuvas do final do ano, no chão pedregoso, começa a postura dos ovos da avoante, uma pomba que vive ali.

Pela manhã, numa imensa revoada,

as avoantes saem em busca de água para beber. É tal a quantidade que acabam escurecendo o céu do dia.

Ao entardecer, elas se aquietam nos ninhos no chão do carrasco, como é chamado na caatinga esse tipo de mata.

Perto dali, numa poça que a chuva criou, entre umas pedras grandes emergentes do chão, pequenas pererecas ouvem interessadas o canto de um macho, cuidadosamente protegido entre os espinhos de um cacto.

A perereca macho passou toda a época da seca sob o chão, economizando suas energias vitais até que, com a chegada das chuvas, a atividade recomeçasse.

No interior da Bahia, existe uma cidade chamada Curaçá.

Nessa cidade, e também nas matas de um afluente do Rio São Francisco,

vive um casal muito especial de araras.

É para esse estranho casal, formado por dois animais de espécies diferentes que vamos dirigir nossa atenção. Uma é a ararinha azul, o macho, chamada de Severino pelo povo de Curaçá; a outra é a verde, a fêmea, conhecida por maracanã.

Nasce o sol no céu de poucas nuvens. Severino se aproxima da caraibeira, às margens do Riacho da Melancia. Nela, aproveitando um oco cavado no tronco por um pica-pau, o casal fez seu ninho.

Ali, a ararinha maracanã passou a noite dormindo.

Agora, a ararinha azul vem buscá-la para irem até a várzea se alimentar dos frutos do pinhão.

As duas ararinhas vão juntas em busca dos frutos.

Os dois animais se entendem muito bem
e convivem juntos há muitos anos.

Conforme o clima fica mais seco, vão rareando as plantas dessa espécie, obrigando a ararinha a ir em busca de pinhões mais longe.

Logo o casal se encontra onde, mesmo com o solo um tanto seco, ainda há frutos para se alimentar.

Os animais comem alguns tipos de frutos diferentes, entre eles o mofumbo.

A primeira luminosidade do dia surpreende um raro tatu-bola entre os cactos cachacobri. Ele vai dormir após uma noite atarefada.

Esse curioso animal, quando ameaçado, se enrola na própria couraça, ficando como uma pequena esfera.

Após um dia vagueando em busca de comida, se protegendo dos predadores em andança próximos ao Riacho da Melancia, Severino deixa a ararinha maracanã no oco da árvore e volta para se acomodar no grande cacto chamado facheiro.

Assim que se acomoda, dorme durante toda a noite. Ao acordar, voa em direção ao oco da caraibeira, quando é surpreendido por uma grande coruja, que o ataca.

Os dois animais se atracam em pleno ar, mas a ararinha consegue escapar.

Ela teve muita sorte, pois estas corujas, além de possuírem garras possantes, são especialmente espertas.

A cena foi assistida com muita preocupação pelo seu Toinho, vaqueiro que mora próximo ao Riacho da Melancia. Ele costuma observar cada passo do casal.

É tanto o seu conhecimento que, como os demais habitantes da caatinga, auxilia em muito o trabalho dos biólogos que estudam os hábitos dessas araras que voam no céu dessa região.

A ararinha azul chega ao toco em busca da fiel companheira, um pouco agitada e machucada.

Com a luminosidade intensa do sol e a caatinga ainda recebendo pouca chuva, resta pouco alimento para o casal, que sai em sua busca.

Sob o olhar atencioso de seu Toinho, o casal sobrevoa um serrote, como é chamado neste lugar um afloramento de pedras.

Seu Toinho, como um típico vaqueiro da região, tem que usar uma espécie de armadura de couro. A vestimenta protege até suas mãos dos terríveis espinhos da caatinga.

Ele sabe que esta formação de pedras,
o serrote, abriga segredos da vida animal.

Como nasceu e passou a vida nesse lugar, sabe que no serrote vive um pequeno animal chamado mocó.

Sobre as pedras, ele sai pra tomar sol.

Como é um animal muito curioso, está sempre atento a qualquer barulho por perto.

O vaqueiro, permanecendo quieto até que o silêncio da caatinga predomine, vê o pequeno animal, cuidadosamente, subir num arbusto de flores violetas claras e comer uma delas.

Vem setembro e a seca chega ao auge, transformando o Riacho da Melancia em poucas poças de água barrenta.

Do riacho só resta a lembrança da água que correu um dia por ali.

O casal de araras vê os outros companheiros que na caatinga vivem.

Alguns Jacus vêm comer as flores da caraibeira e, à beira da poça, um grande número de pequenas aves vêm beber água.

Chega o mês de outubro e, de manhã, o oco da caraibeira é um espetáculo à parte.

Ao entardecer, o casal volta de sua busca pelo alimento.

Com a seca, é obrigado a um voo próximo ao grande Rio São Francisco, que, por ser grande, produz a umidade que o pinhão precisa para frutificar.

A noite escura cobre o riacho seco. Sobre um pedregulho, um bacurau caça insetos disfarçado de tronco velho sobre o chão.

No torrão de uma árvore caída, na margem de um riacho, uma cobra-coral sai em busca de alimento.

No torrão ainda há umidade, mesmo que pouca, para que ela sobreviva.

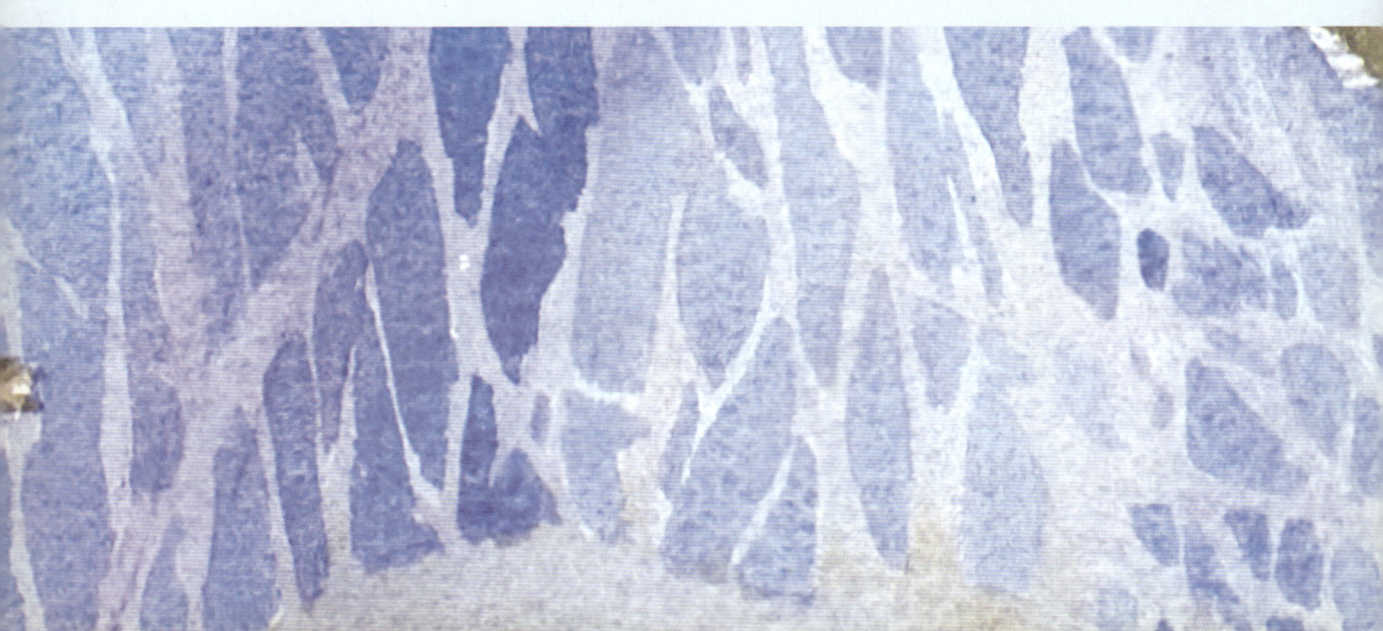

Noite alta do silêncio.
Com ruído particular, os morcegos fazem seu importante papel, pois, ao se alimentarem do néctar das flores do cacto, as fertilizam.

Texto e Ilustrações
Rubens Matuck
a caatinga
diário de viagem

BIRUTA

Quando inicio um caderno de viagem, sempre me vem um frio na barriga. Isto aconteceu quando fui para Curaçá, na fronteira norte do estado da Bahia. Lá vivia a ararinha azul.

Assim que Rosely, minha companheira, prepara um caderno artesanal especialmente para uma viagem, minha cabeça se enche de ideias. Fico imaginando, por exemplo, que tipo de plantas ou animais vou conhecer.

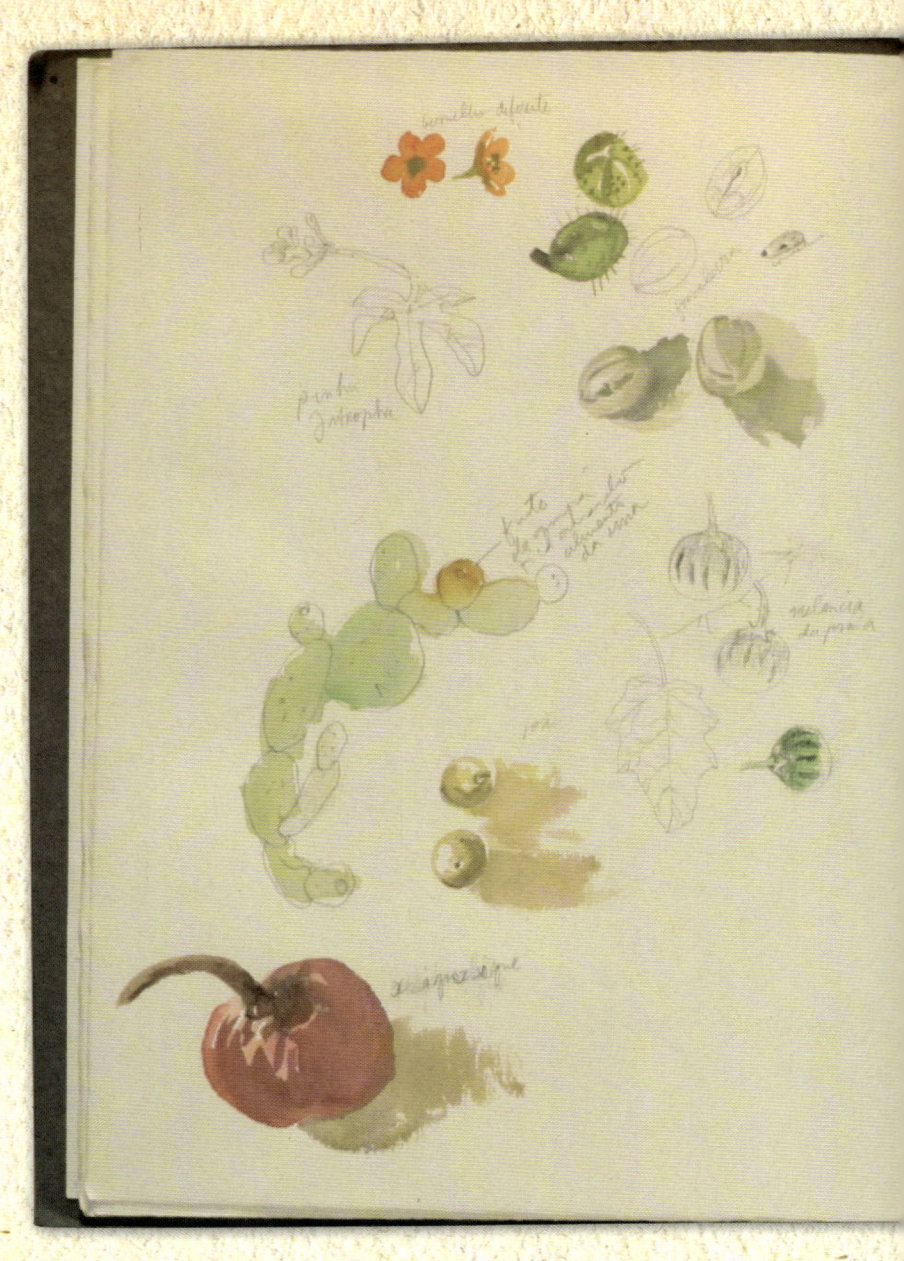

Mas, por maior que seja nosso mundo interior e nossa imaginação, nada se compara com a realidade do lugar. Esta região da caatinga, curiosamente, na época das chuvas, é verde e úmida.

A ararinha azul, que lá vive, é o animal mais ameaçado de extinção do planeta Terra, hoje. Comecei o caderno anotando alguns frutos, como o mofumbo e a faveleira dos quais ela se alimenta.

Quando chego num lugar novo sinto necessidade de me situar. Uma das maneiras de conseguir isto é olhar para o céu e ver as constelações à noite. Com os amigos Brandão e João Paulo foram contadas muitas histórias e lendas sobre as constelações.

Anoto também as diferentes árvores que vivem na região. Anoto suas folhas, flores, frutos e sementes. Nesta folha alguns exemplos da rica variedade de árvores, representadas por suas sementes: a mucuna, o pau-ferro e outras.

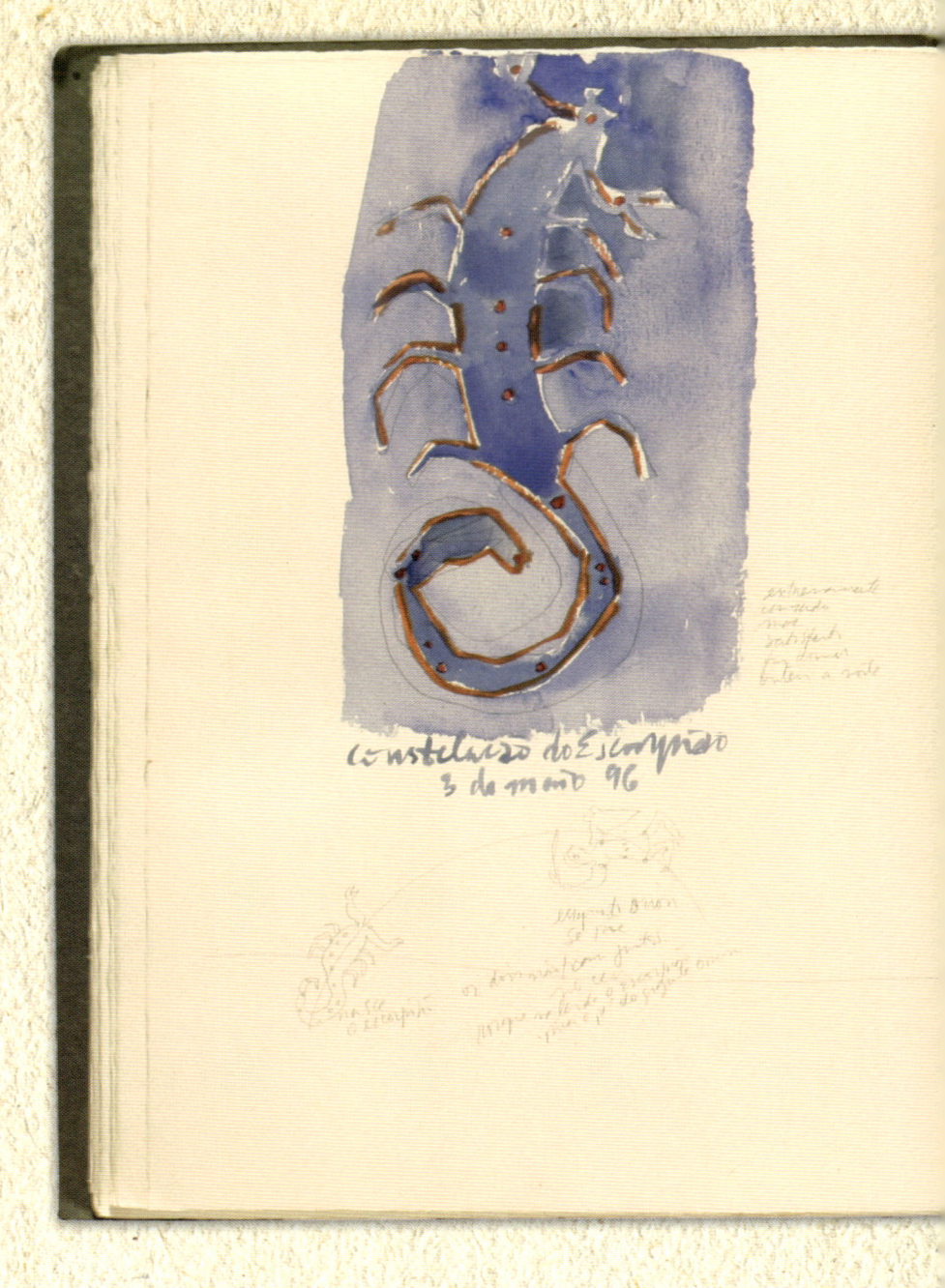

No céu, especialmente limpo e transparente, da Bahia brilha a constelação de escorpião. Com um pouco de prática em observação noturna, achamos esta constelação com facilidade.

Os rios brasileiros sempre me interessaram muito pela sua importância no meio ambiente brasileiro. Nesta página, uma paisagem vista da janela da casa da bióloga Yara, que participou do projeto da ararinha azul.

O caderno guarda nas suas imagens as coisas que ficarão conosco para sempre. Experimente fazer um em suas viagens.

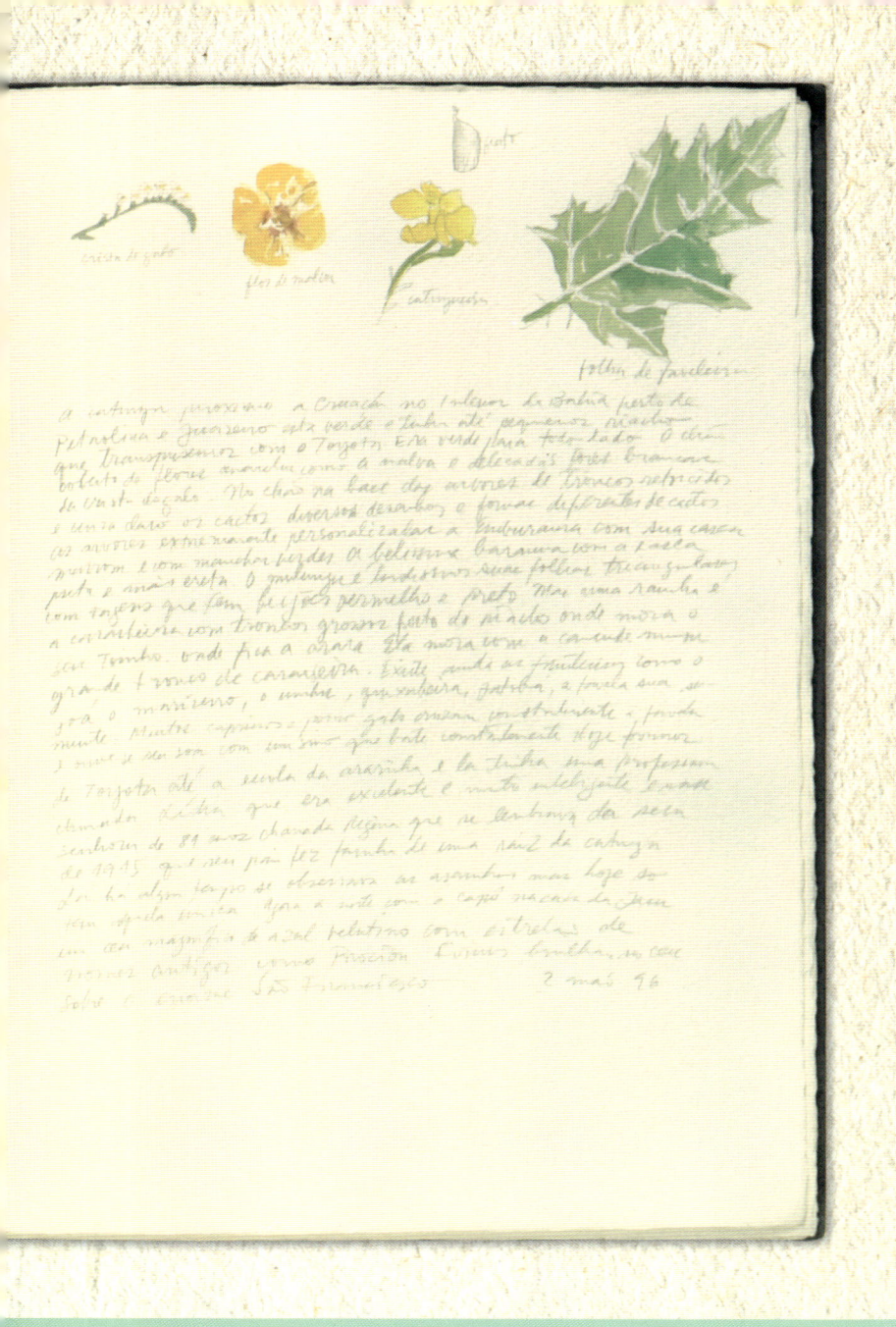

Quando viajamos, deparamos com conhecimentos que nos escapam no nosso cotidiano. Aqui, nesta página, a descrição das plantas que servem como remédio para os povos nordestinos nesta região.

O artista, em suas viagens, aprende a olhar para tudo sem preconceitos. Aqui nesta folha, cogumelos nascem no esterco fazendo uma paisagem em miniatura.

Poucas vezes vi uma flor-de-maracujá tão linda. Por quase todo o país encontro com elas, são muitas espécies diferentes desta planta que também tem frutos deliciosos.

No nosso trabalho (de fazer livros infantis) muitas vezes temos que ir ao zoológico fazer desenhos detalhados dos animais. A ararinha azul, em particular, era muito difícil de ser vista solta na natureza.

Quando fui ao zoológico desenhar, sempre tive uma acolhida muito simpática dos cientistas e técnicos que lá trabalham. O zoológico tem uma função importante na educação ambiental das pessoas.

Interessante notar que em Curaçá havia um ipê-amarelo (lá chamado de Caraibeira) muito diferente dos que conheci pelo Brasil. Suas folhas se assemelhavam às folhas do eucalipto.

Nesta foto um belo exemplar de Caraibeira próximo ao Riacho da Melancia.

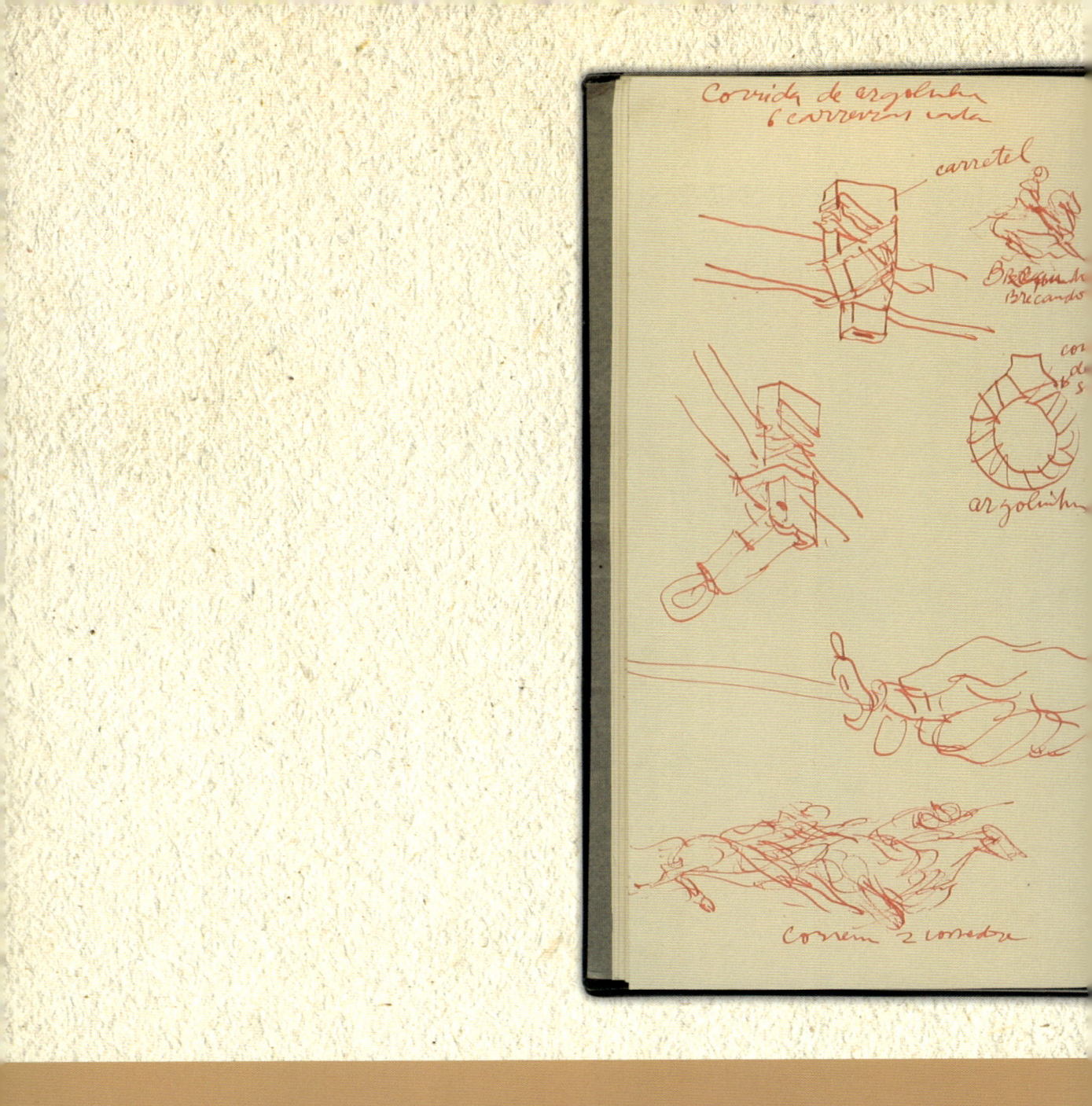

Neste outro caderno, trato da grande festa do Vaqueiro na cidade de Curaçá. Muitos vaqueiros chegam a esta cidade nesta época com sua melhor roupa. Vindos do interior e viajando vários dias para chegar. Muito orgulhoso com sua melhor roupa de couro o Seu Toinho desfila na festa com seu cavalo branco onde pintou uma imagem da ararinha no pescoço do animal. Seu maior orgulho era que "Severino", o macho da ararinha azul, vivia numa caraibeira no seu sítio próximo da cidade de Curaçá.

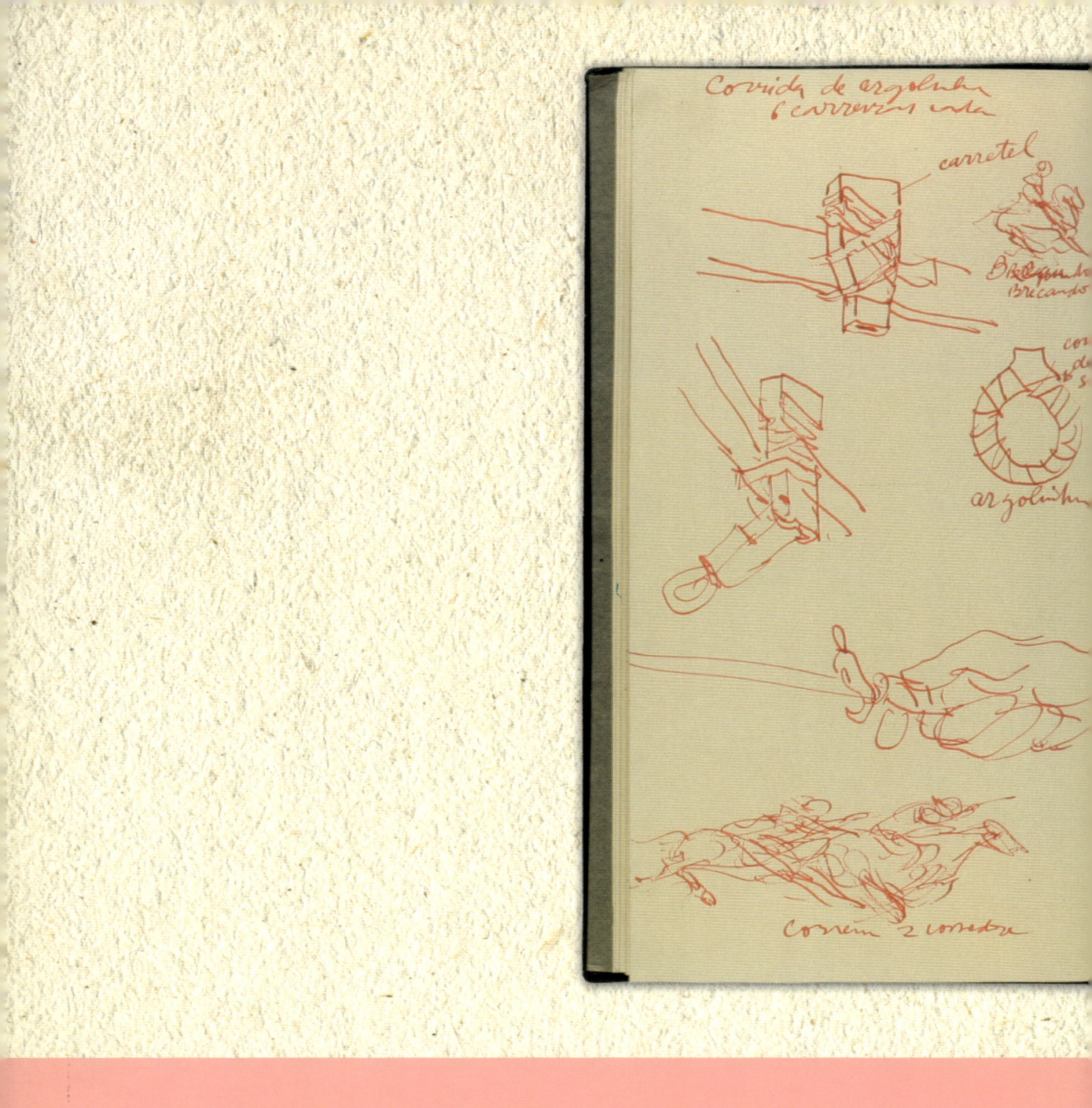

A festa dura alguns dias, e os vaqueiros desfilam pelas ruas, rezam uma missa solene e divertem-se em jogos de montaria e grandes almoços coletivos.

Muitos vieram sozinhos, outros com seus compadres e amigos enchendo a pequena cidade de um clima bom de festa. Nestas páginas desenhei a corrida da argolinha, uma brincadeira que requer muita habilidade no montar a cavalo.

Seu Janjão é o compositor e tem muito prazer em cantar suas composições. Tem um pequeno bar onde nas horas de menor movimento compõe letras para suas músicas.

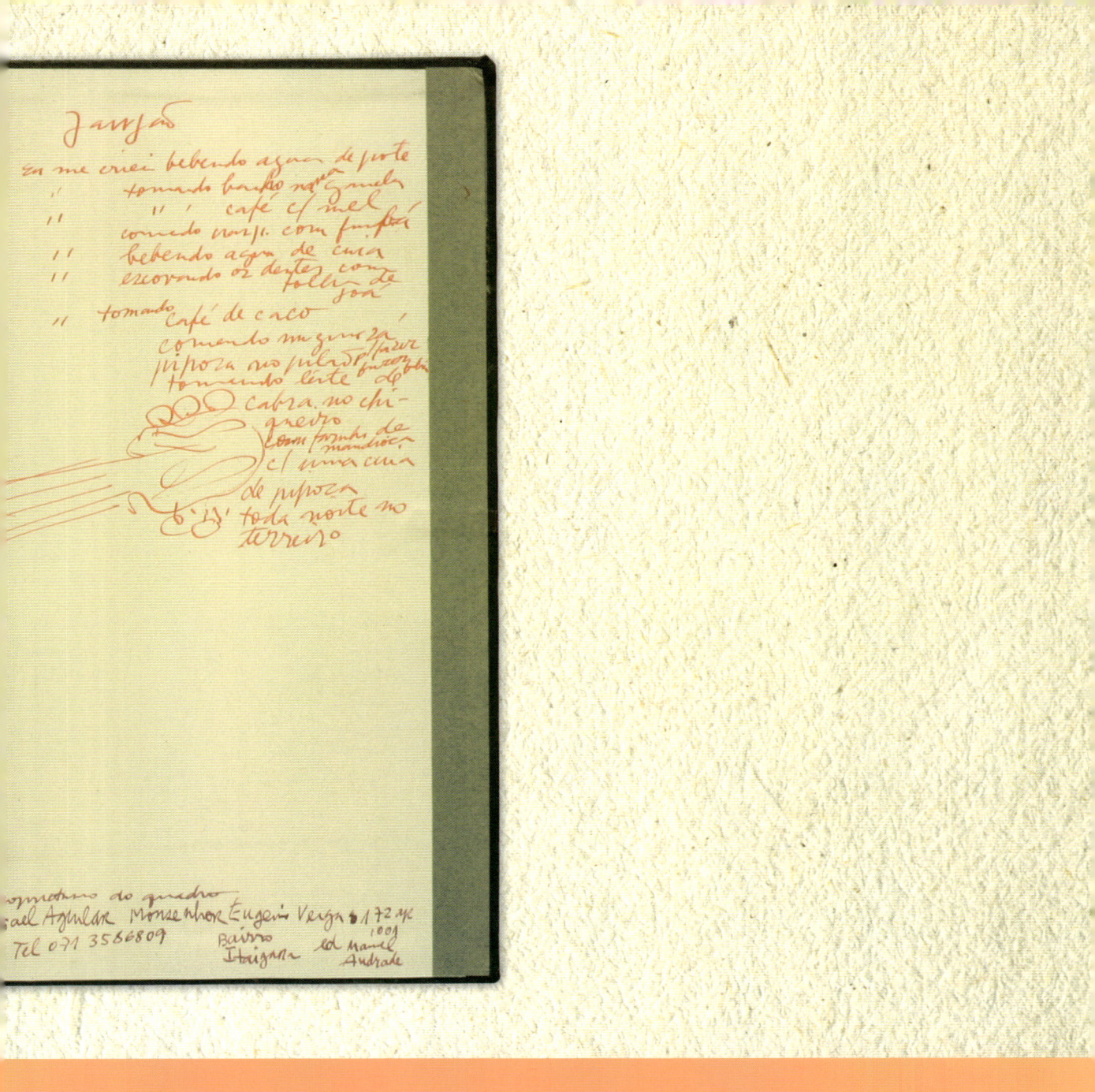

A cidade de Curaçá, Seu Toinho e as pessoas que lá vivem jamais vão sair do meu coração.

Texto e Ilustrações
Rubens Matuck
a caatinga
guia do viajante

BIRUTA

Quando viajo, levo uma mala composta de coisas que normalmente necessito em ocasiões assim.
Essa mala contém, por exemplo, remédios que toda pessoa sabe que precisa. No meu caso, aspirina, para gripes
 e resfriados.

Geralmente viajo a trabalho ou sou convidado. Assim que recebo a incumbência ou o convite, penso na maleta. Primeiro de tudo, ela tem que ser um pouco resistente e impermeável, pois, às vezes, eu viajo de barco e toda a bagagem pode se molhar com a simples passagem de uma lancha em alta velocidade pelo rio.

O seu conteúdo é pensado cuidadosamente:
1. Remédios;
2. Material de primeiros socorros, como esparadrapo, antissépticos e gaze;
3. Toalhas de papel;
4. No meu caso, míope desde pequeno, um ou dois óculos extras. Certa vez caí no Rio Amônia, no Acre, e perdi os óculos no leito do rio, mas, felizmente, tinha um sobressalente;
5. Binóculo, para ver pássaros a distância e estrelas à noite;
6. Por falar em estrelas, levo um mapa celeste, pois adoro ver as constelações, imaginando o que elas representam nas diversas culturas;

7. Caderno de viagem, pois costumo anotar tudo, como detalhes de flores, paisagens e as conversas das pessoas dos lugares que visito;
8. Uma caneta e uma pequena caixa de aquarela especial para viagens;
9. Uma pequena caixa de CDs vazia para guardar folhas secas que encontro pelo caminho;
10. Caixas de plástico para coletar sementes de toda espécie;
11. Sacos de lixo.
Os itens têm a ver com a personalidade de cada pessoa e com o que ela gosta de fazer na viagem. Você deve levar em conta a sua personalidade e imaginação na hora de fazer a mala de viagem.

Alguns cuidados mínimos têm de ser tomados quando se faz esse tipo de viagem, de contato com a natureza.
Sempre aprecie e sinta os perfumes, olhe as paisagens e as cores das viagens. Esses detalhes contribuem para que nos tornemos mais humanos, respeitando a natureza e as outras pessoas.
Respeite os ninhos dos animais como se fossem a sua própria casa.
Deixe os rios limpos, recolhendo o seu próprio lixo num pequeno saco, que você leva de volta ao hotel ou onde estiver hospedado.

Tenha respeito pelos companheiros de viagem.
A jornada pode ter momentos tensos e, quanto mais calmo você ficar, mais vai ajudar o grupo nessas situações.
Procure sempre andar em companhia de pessoas que conheçam o lugar e sejam de confiança.
Respeitar as pessoas do lugar é respeitar a si mesmo. Podem nascer inesperadamente grandes amizades neste tipo de viagem.

Cada região deste país em que vivemos apresenta coisas que só lá acontecem. Cada região tem os seus próprios animais e plantas, que a tornam notável e curiosa aos nossos olhos.
Sempre que puder, conheça uma pessoa de mais idade que saiba a história do lugar. Com isso, você pode ter surpresas incríveis.
Eu acho que viajar é um dos grandes prazeres do ser humano. Conhecer os lugares e fazer uma viagem agradável nos faz muito bem.

Rubens Matuck é artista plástico, escultor, escritor e faz desenho gráfico. É autor de mais de trinta livros infantis e em quinze deles cuidou não só das ilustrações como também do texto.

A fauna e a flora brasileira são os temas destes livros. Publicou pela Editora Biruta os títulos da série Natureza Brasileira sobre animais em extinção e as regiões do país. *O Lobo-Guará*, *A Baleia-Corcunda*, *O Beija-Flor-de-Topete* e *A Ararajuba* receberam o Prêmio Altamente Recomendável da Fundação Nacional do Livro Infantil e Juvenil (FNLIJ) em 2004. Sobre as regiões brasileiras foram publicados três títulos pela Editora Biruta: *A Caatinga*, *O Pantanal* e *A Amazônia*.

Rubens Matuck recebeu prêmios como o Jabuti de Melhor Ilustração de Livro Infantil em 1993 e o Salon du Livre de Jeunesse (Paris, 1992).